D0619145

Histoires drôles, combles et devinettes pour les vacances

Jess Lutin

Histoires drôles, combles et devinettes pour les vacances

De Vecchi

Le peuple a besoin de rire ; les rois aussi.
Il faut aux carrefours le baladin ;
il faut aux louvres le bouffon.
L'un s'appelle
Turlupin, l'autre Triboulet.

Victor Hugo, *L'Homme qui rit*

Tous les dessins à l'intérieur de l'ouvrage sont de Jean-Pierre Foissy

SOMMAIRE

INTRODUCTION

Rire est aussi bon pour le corps que pour l'esprit. Rien de mieux, en effet, qu'un bon éclat de rire ou le plaisir peut-être plus subtil d'un sourire pour redonner plein éclat au quotidien. Et pour cela, tout style d'humour est profitable : le plus fin comme le plus « hénaurme », le plus délicat comme le plus lourd. Qu'importe alors la forme choisie : jeu de mots, histoire ou devinette ; chaque catégorie a ses charmes, chacune distille du plaisir.

C'est sur ces bases que nous avons conçu ce recueil pour enfants et adolescents, qui s'ouvre par une sélection de blagues classées par thèmes.

Place ensuite à un chapitre consacré aux *combles*, dont la saveur particulière vient du fait qu'ils fonctionnent plus précisément sur la rencontre d'homonymies de termes ou d'idées dont le caractère imprévu ne va pas sans une implacable logique. En faisant ainsi s'entrechoquer des termes apparemment identiques mais de sens distincts, les combles créent un univers tour à tour subtil, loufoque ou résolument original qui prend le lecteur à contre-pied et génère son plaisir. Véritables énigmes en réduction, les combles séduisent d'autant plus qu'ils dénouent d'un coup une question *a priori* insoluble par l'artifice d'une pirouette bienvenue, suspense et tension s'achevant alors dans un éclat de rire. Dans ces conditions, rien d'étonnant à ce qu'ils aient traversé âges et modes en faisant la joie des petits et des grands.

L'ensemble est, enfin, complété par toute une série de devinettes originales dans lesquelles la logique le dispute à l'absurde. Pour corser un peu le jeu, ces devinettes sont proposées sans classement thématique, contraignant ainsi le lecteur – et donc les joueurs – à aiguiser leur perspicacité pour les résoudre.

Bref, un recueil pour rire, sourire et s'amuser en solitaire, ou à partager entre amis.

HISTOIRES

A comme.... Animaux

Deux petites mouches se promènent sur les
souliers d'un randonneur assoupi.
– On monte plus haut ? demande la première.
– Non merci, répond l'autre, j'ai horreur des routes
en lacet.

Cela fait maintenant plus d'une heure que deux
frères se posent des devinettes sous l'œil d'un
matou allongé dans un coin de la pièce.
– Et celle-là, tu la connais ? dit le premier gamin.
– Vas-y.
– Quelle est la différence entre Louis XVI et
Louis XVIII ?
– Je ne sais pas.
– Vraiment pas ?
– Non. Je donne ma langue au chat.
– Non merci, j'en ai assez mangé comme ça,
murmure alors la bête avec dégoût.

9

– Moi, plus tard, je serai une reine, dit une petite mygale à sa maman.
– Et qu'est-ce qui te fait dire ça ?
– Je viens d'apprendre que je suis appelée... araignée. (à régner)

Deux enfants discutent des techniques de camouflage inventées par les animaux.
– Tu sais comment les lapins se rendent invisibles ? demande le premier.
– Pas du tout.
– Eh bien, ils mettent des lunettes noires.
– C'est idiot, ce que tu dis : personne n'a jamais vu un lapin avec des lunettes noires.
– C'est qu'ils étaient bien devenus invisibles en les portant !

Deux amis discutent des mérites respectifs de leur chien.
– Mon berger allemand est extraordinaire, dit le premier : chaque jour, je l'envoie chercher la viande chez le boucher. Eh bien, il me la rapporte sans même y toucher.
– Le mien, dit l'autre, est encore plus formidable : il me rapporte le journal chaque matin.
– Mais... cela n'a rien d'extraordinaire !
– Détrompe-toi : je ne suis même pas abonné !

Un cheval ayant perdu ses fers entre chez un cordonnier.
– Que puis-je pour vous ? demande l'artisan.
– Me refaire... les talons ! (l'étalon)

Un escargot complètement saoul rentre chez lui en pleine nuit, quand il bute soudain sur quelque chose de lumineux.
– Oh ! pardon, monsieur le lampadaire, dit-il poliment.
– Je ne suis pas un lampadaire, je suis un ver luisant !

Un homme entre dans une salle de concert avec son chien, et tous deux s'installent confortablement au premier rang. Peu après, les lumières s'éteignent et le concert commence. Soudain, le chien se penche à l'oreille de son maître et lui dit, assez fort pour être entendu malgré la musique :
– Tu as remarqué que le clarinettiste fait des fausses notes ?
Le maître hausse les épaules sans rien répondre.
Quelques instants plus tard, même remarque de la part du chien :
– Le premier violon n'est pas toujours en rythme.
De nouveau, le maître hausse les épaules.
À la fin du concert, un auditeur s'étonne :
– Dites donc, il est fantastique, votre chien !
– Ne faites pas attention, répond alors le maître, il n'a pas l'oreille musicienne !

Par ce beau jour de pluie, des escargots se rendent en masse dans une clairière où doit se dérouler une course. Chacun parie à qui mieux mieux jusqu'au coup de sifflet du départ. Les dix-huit concurrents entament alors le parcours, qu'ils couvrent en un peu plus d'une heure. Parieurs et spectateurs se pressent autour de la ligne d'arrivée, quand la voix du commissaire déclare :
– Il faudra attendre la photographie pour connaître l'ordre exact d'arrivée !

Un écureuil croise le chemin d'une mouffette dont la forte odeur le fait fuir illico.
– Qu'est-ce que tu *pues, toi* ! dit-il en prenant ses jambes à son cou.

La veille d'une grande exposition animalière, l'organisateur montre au gardien de parking nouvellement engagé où devront se garer les exposants :
– Ici se rangeront ceux venant avec des chiens et des chats.
– Entendu, Monsieur.
– Et là, ceux qui viennent avec des oiseaux.
– C'est compris.
– Là, ce sera pour les propriétaires de reptiles. Vous avez bien compris ?
– Oui, Monsieur, mais... les loups garent où ?

– J'en ai assez de me faire marcher dessus,
dit un petit poisson au fond de l'étang.
– Normal, lui répondent ses parents, on te prend
pour une... *carpette* !

Trois félins se réunissent au clair de lune pour
danser.
Moralité : *cha-cha-cha*.

D comme.... Divers

L'histoire se déroule dans une abbaye du Moyen
Âge. Le supérieur appelle l'un des moines et lui
dit :
– Frère Georges, nos frères de l'abbaye voisine
manquent de bras pour leurs travaux des
champs. Vous irez les aider une petite semaine.
– Oui, mon père.
Et le brave abbé se met aussitôt en route. Après
une bonne journée de marche, le voilà qui frappe
à la porte de l'établissement.
– Qui est là ?
– Frère Georges.
– Connais pas, lui répond, méfiant, le préposé à
travers le judas. D'où venez-vous ?
– De l'abbaye voisine.
– Pour quelle raison ?
– Vous aider à faire vos récoltes.
– Quelles sont vos lettres de créance ?
– A B C D ! (abbé cédé)

En visite à Paris, un groupe de jeunes Européens se rend au zoo de Vincennes. L'animateur qui les guide en profite pour leur apprendre le nom des différents animaux.

– Voilà un zèbre... un zèbre, dit-il en articulant bien les deux syllabes du mot devant l'espace où évolue l'animal.

– Yes... yes, répond l'Anglais.

– Ja... ja, répond l'Allemand.

– Si... si, répond l'Italien.

Le Russe, lui, reste muet.

– Et maintenant, voici un lion... un lion, dit l'animateur, suscitant les mêmes réponses laconiques des enfants. Et ainsi de suite pendant toute la visite.

Lorsqu'ils ressortent du zoo, ils vont pique-niquer près du lac, quand passe un cavalier. L'animateur décide alors de faire une nouvelle tentative linguistique :

– Ceci est un cheval... un cheval.

Les jeunes répondent comme à l'accoutumée, sauf le Russe qui prend enfin la parole :

– Da... da, murmure-t-il d'un air admiratif.

– En voilà un qui commence à apprendre ! s'exclame alors l'animateur.

Un dermatologue rencontre l'un de ses amis, qui lui demande comment vont ses affaires.

– Mal, mon vieux, très mal ; je n'ai que des ennuis en ce moment.

– C'est si grave que ça ?

– Ben oui : je manque de... pot ! (peau)

C'est l'histoire d'un type qui était si radin que, pour l'anniversaire de son fils, il avait choisi un mikado ! (mi-cadeau)

Paul est un garçon comme les autres à la différence près qu'il lui a toujours été impossible de prononcer les R. Aussi décide-t-il de consulter un spécialiste pour remédier à ce problème.
– Bonjou', docteu'. Pouvez-vous soigner mon handicap ?
– Bien sûr, répond le médecin. Vous parlerez comme tout le monde après une dizaine de séances.
Quelques mois plus tard, Paul – dont le traitement a parfaitement réussi – invite tous ses amis pour fêter l'événement. Et décide de prononcer un petit discours :
– Je vous ai réunis pour vous faire partager mon bonheur de pouvoir enfin parler comme n'importe qui. C'est la première fois de ma vie que je peux prononcer correctement cette lettre qui m'a causé tant de malheurs.
Une voix s'élève alors dans l'assistance :
– Tu nous offres un baptême de l'R, en somme !

Une meute de rockers se rendent dans un *drive-in* dont le programme affiche un film sur les meilleurs groupes du moment. Dès les premières images, l'ambiance est à son comble, tant et si bien que les spectateurs deviennent de plus en plus violents. Et ils commencent à lacérer leurs fauteuils !

Un marin entre dans un magasin de vêtements pour acheter un T-shirt.
– De quelle marque ? s'enquiert la vendeuse.
– Petit Bateau, évidemment.

Un garçon qui parle extrêmement vite croise l'un de ses copains et lui demande :
– Pourquoi n'étais-tu pas à la cafétière ?
– À la cafétéria, tu veux dire ?
– Oui.
– Impossible. Aujourd'hui, je déjeunais avec ma mère.
– Mais je ne te parle pas d'aujourd'hui, répond l'autre en riant.
– C'est pourtant ta question ?
– Pas du tout : je te demandais pourquoi tu n'étais pas à la *caft... hier* !

L'histoire se déroule au Club des constipés chroniques. Ce soir-là, ses membres fêtent l'arrivée d'un nouvel adhérent qui, très ému, est pris d'un violent mal de ventre.
– Pourriez-vous m'indiquer les toilettes ? demande-t-il alors à son voisin de table.
– Je ne sais pas où elles sont, répond l'autre, je ne viens ici que depuis deux semaines !

Au Moyen Âge, un paysan illettré et tout aussi ignare en calcul se retrouve dans l'incapacité de déterminer l'impôt qu'il doit à son seigneur.
– Combien de sacs de blé dois-je lui donner ? demande-t-il à sa femme.
– Je n'en sais fichtrement rien, répond-elle.
– Comment faire pour être sûr de ne pas me tromper ?
– Eh bien, va voir le comte : c'est un homme droit, honnête et cultivé ; il calculera le nombre de sacs qui lui revient.
– Tu as raison. Je vais aller lui rendre visite.
Le paysan prend donc le chemin du château, demande à être reçu par le seigneur, auquel il explique bientôt son problème. Touché par tant de confiance, le comte fait les calculs légaux qui s'imposent et, parvenu au terme de ses opérations, déclare :
– Votre confiance m'honore. Pour la peine, je diminuerai votre impôt de dix pour cent.
Heureux et flatté, le paysan murmure alors :
– Le *comte est bon* !

Un étudiant passe la dernière semaine qui le sépare des examens à la montagne. Là, il fait de longues promenades, s'arrêtant régulièrement pour crier. Un randonneur s'étonnant de son petit manège finit par lui demander :
– Pourquoi criez-vous comme cela ?
– Ben, je prépare mon examen de *sciences... écho* !

E comme.... Enfants

– Qu'est-ce que tu veux pour Noël ? demande un grand-père à son petit-fils.
– Une trompette.
– Tu aimes la musique ?
– Non.
– Pourquoi veux-tu une trompette alors ?
– Pour gagner de l'argent.
– Tu comptes en jouer ?
– Bien sûr.
– Et tu crois qu'on te paiera pour cela ?
– Ben non… mais j'espère bien qu'on me paiera pour ne pas en jouer !

La maîtresse de musique interroge ses élèves :
– Qui peut me donner le nom d'un instrument à cordes ?, demande-t-elle.
– Moi, M'dame, répond petit Pierre.
– Eh bien, vas-y, je t'écoute.
– Un gibet, M'dame !

Au cours d'un dîner dominical, toute la famille savoure un délicieux pot-au-feu préparé selon la tradition la plus ancienne. Après avoir terminé sa deuxième assiette, Papa s'exclame :
– Décidément, rien ne vaut les recettes de grand-mère.
– Mais, ce n'est pas Grand-Mère qui a fait la cuisine, déclare le petit dernier, c'est Maman !

Dans la cour de récréation, un garçon pose la devinette suivante à l'un de ses copains :
– Une poule pond six œufs, qu'elle couve, et qui donnent bientôt naissance à six poussins mâles. L'un d'entre eux se révèle tout de suite très farceur. Lequel ?
– Je ne sais pas, avoue l'autre au terme d'un long instant de réflexion.
– Tu donnes ta langue au chat ?
– Oui.
– Eh bien, c'est le premier.
– Pourquoi ?
– Parce c'est le… coq un ! (coquin)

En rendant les dictées corrigées, la maîtresse dit à Nicolas :
– Peux-tu m'expliquer pourquoi tu as écrit grand-père avec deux P ?
– Parce que mon grand-père à moi, je l'appelle… Pépé ! (P. P.)

Peu avant le réveillon, un gamin se glisse subrepticement dans la cuisine, s'empare de la dinde prête à cuire et la bourre d'un mélange de chewing-gum, de mayonnaise et de pâte à modeler. Puis il la met au four.
Moralité : pour une bonne farce, c'est une bonne farce !

En ce beau jour de juillet, les enfants d'une colonie de vacances s'apprêtent à recevoir dignement la visite de leurs parents. Pour l'occasion, moniteurs et monitrices leur ont demandé de faire des dessins, qui seront exposés dans le réfectoire.

Après les discours d'usage et la visite des locaux, les parents sont enfin invités à découvrir les œuvres de leurs chers bambins. Et petit Pierre les accueille sur le seuil avec ces mots :
– Bienvenue à l'exposition… *coloniale* !

Une petite fille qui adore les fleurs se rend chez la mercière.
– Bonjour, Madame, je voudrais acheter des boutons pour mon gilet.
– Quel modèle veux-tu ?
– Des boutons d'or.

Deux mères venues voir le principal du collège pour parler des études de leurs enfants discutent au sortir des locaux.
– Que vous a-t-il dit ? demande la première.
– Que mon fils promet beaucoup.
– Moi aussi, reprend l'une. L'avenir de nos enfants est ainsi tout tracé.
– Comment cela ?
– Ben, s'ils promettent tant que ça, ils feront d'excellents politiques !

F comme.... Fous

Le directeur d'un asile rencontre l'un de ses
pensionnaires qui marche à tout petits pas.
– Vous avez mal aux pieds, mon pauvre ?
– Non, pas du tout. J'ai simplement attaché les
lacets de mes chaussures ensemble.
– Mais pourquoi donc ?
– Pour ne pas oublier une chose importante.
– Laquelle ?
– Me déchausser en rentrant !

Un patient se rend chez un
psychiatre et lui demande :
– Est-il normal, docteur, que
les images de mes rêves
soient toujours floues ?
– Je ne sais pas, monsieur,
mais, à votre place, je
commencerais par consulter un
ophtalmologiste !

Un fou téléphone à un autre fou.
– Allô ! dit la voix, je suis bien au trente-cinq, vingt-
quatre, vingt-cinq, dix-huit, seize ?
– Pas du tout, répond le fou, ici c'est le trois, cinq,
deux, quatre, deux, cinq, un, huit, un, six.
– Excusez-moi, je me suis trompé de numéro.
– Je vous en prie, répond le second fou, qui
raccroche.

Un fou se présente à la consultation médicale du psychiatre de son établissement. Ce dernier s'étonne :

– C'est amusant, vous avez une chaussette noire et une chaussette blanche.

– Et je ne comprends pas pourquoi, répond le fou. J'en ai trouvé une autre paire identique dans mon tiroir ce matin… alors que j'avais bien acheté une paire de chaussettes noires et une paire de chaussettes blanches.

Ayant remarqué l'intérêt que l'un de ses pensionnaires porte à la photographie, le directeur d'un asile lui conseille :

– Vous devriez prendre des clichés de vos camarades.

– Bonne idée, lui répond le fou, qui se met aussitôt au travail.

Le directeur le regarde faire un instant, heureux de le voir s'occuper de façon saine, puis regagne tranquillement son bureau. Mais voilà qu'un cri effroyable déchire soudain le silence. Le directeur se précipite, pour surprendre le photographe en train de tirer des deux mains sur les joues de son modèle.

– Mais… qu'est-ce que vous faites ? s'exclame-t-il en lui faisant lâcher prise.

– Je lui tire le portrait comme vous me l'avez suggéré, Monsieur le directeur.

À la fin d'un repas, un fou demande à un autre fou :
– Je te cède ma pomme. Que me donnes-tu en échange ?
– Deux baguettes.
– Ça fait beaucoup, non ?
– Absolument pas. C'est le tarif : une pomme, deux pains !

Deux fous montent dans une voiture et se lancent dans la traversée du Sahara. Au bout d'une cinquantaine de kilomètres, l'un d'eux se plaint horriblement de la chaleur.
– Eh bien, tu n'as qu'à ouvrir la vitre, dit le conducteur.

Un fou entre dans un commissariat pour porter plainte contre la couturière qui lui a confectionné des rideaux.
– Que lui reprochez-vous ? lui demande le policier de faction.
– De m'avoir volé mes rideaux, pardi !
– Elle ne vous les a jamais livrés ?
– Si.
– Dans ce cas, je ne comprends pas bien ce que vous lui reprochez.
– Vous oubliez qu'avant elle me les avait piqués !

Le directeur d'un asile visite les chambres de ses pensionnaires, lorsqu'il surprend l'un d'eux en train de tremper le bec d'un oiseau dans un flacon d'encre, avant de commencer à écrire avec application.
– Mais que faites-vous là, mon brave ?
– Vous voyez bien, je me sers de mon stylo-plume !

Lors de sa visite du soir, l'infirmière d'un asile s'étonne de ce que l'un des pensionnaires ait deux verres sur sa table de nuit, l'un plein et l'autre vide.
– Un seul verre ne vous suffit pas ? lui demande-t-elle.
– Ben non, répond le fou, j'ai besoin des deux.
– Mais à quoi peut bien vous servir le verre vide ?
– C'est pour les nuits où je n'ai pas soif !

L comme.... Logique

Le directeur d'un nouveau zoo fait visiter son établissement à une meute de journalistes qui le pressent de questions tandis que les photographes prennent leurs clichés. Tout se passe merveilleusement bien jusqu'à ce que l'un des reporters vienne se plaindre :
– Je ne comprends pas, dit-il. Chaque fois que je veux prendre les éléphants, ils s'enfuient.
– Bizarre, répond le directeur, vraiment bizarre ; je ne les savais pas si sauvages. Allons voir ensemble si vous le voulez bien.
Les deux hommes s'approchent alors de l'enclos des pachydermes.
– Essayez de prendre une photo, dit le directeur.
Le photographe approche alors l'appareil de son œil et dit au premier des éléphants : « Souris ! »

Dans un restaurant, un client se plaint d'avoir trouvé une mouche dans son potage. Le garçon jette un coup d'œil dans l'assiette, tire la commande de dessous la nappe et y rajoute imperturbablement la mention « supplément de viande ».

Un type passe devant la boutique d'un coiffeur sur la vitrine de laquelle s'affiche une publicité disant : Aujourd'hui, on coupe gratis. Le promeneur entre aussitôt pour se faire couper les cheveux. Une fois l'opération terminée, il se lève du fauteuil, remercie chaleureusement le coiffeur et s'apprête à sortir, quand le patron le retient par la manche :
– Quel est votre nom ? lui demande-t-il.
– Dupont.
– Alors vous me devez 100 francs.
– Mais pourquoi ? Il y a pourtant écrit sur votre vitrine : Aujourd'hui, on coupe gratis.
– Ben oui… Mais vous, vous vous appelez Dupont !

Raymond Barre, le maire de Lyon, se regarde dans la glace en faisant quelques pas à droite puis à gauche, son image le suivant parfaitement dans chacun de ses mouvements.
Moralité : nous sommes en présence de deux barres parallèles !

Un homme se précipite chez son médecin, victime d'une perte soudaine de mémoire.
– C'est terrible, docteur, je vous l'assure : il m'arrive de plus en plus souvent d'avoir un mot sur le bout de la langue et de ne pouvoir mettre la main dessus ! Existe-t-il un médicament qui pourrait résoudre le problème ?
– Nul besoin de médicament, répond le praticien ; vous n'avez qu'à l'avaler, il vous reviendra le lendemain !

Une jambe droite croise une jambe gauche.
– Comment ça marche ? demande la première.

Un explorateur s'engage dans un étroit passage creusé entre deux montagnes et débouche bientôt sur un magnifique cirque naturel inconnu, qu'il photographie sous tous les angles. Puis il revient par le même chemin.
Qu'a-t-il fait ?
Un tour de *passe-passe*.

Les tantes de deux gamins, toutes deux mariées à un militaire, sont d'excellentes amies. Un jour, elles se donnent rendez-vous devant un cinéma. Mais il y a tellement de monde qu'elles ne parviennent pas à se rencontrer.
Moralité : *tata rata tata*.

Un militant de la SPA déjeune dans un restaurant, quand il découvre un ver se tortillant dans sa salade.
– Garçon, venez vite, il y a une petite bête dans mon assiette.
– Pardonnez-nous, Monsieur, je vais tout de suite vous donner une autre salade.
– Mais ce n'est pas d'un nouveau plat dont j'ai besoin, répond le client, mais d'un mouchoir en papier pour sécher ce pauvre animal !

Un chef d'orchestre renommé donne une conférence de presse au cours de laquelle un journaliste lui demande :
– Comment vous est venue votre vocation ?
– Oh ! c'est très simple, répond le musicien, mon père m'a toujours mené à la baguette. Alors ça m'a donné des idées...

Un Anglais entre dans un café et commande un Martini. Le serveur lui sert alors son verre, puis se dirige vers le juke-box et glisse une pièce dans l'appareil. Quelques instants plus tard, le rythme endiablé d'une chanson d'Elvis Presley envahit l'atmosphère. Mais le son est si fort que l'Anglais s'exclame :
– Mais qu'est-ce que vous faites ? Vous êtes complètement fou !
– Absolument pas, Monsieur ; je ne fais qu'achever de vous servir.
– Comment cela ?
– Vous m'aviez bien demandé un Martini... *on the rock* ?

Dans un restaurant, un client appelle le garçon pour se plaindre :
– Regardez, dit-il d'un air outré, il y a une mouche morte dans mon verre !
– C'est normal, Monsieur, répond le garçon, avec la viande avariée qu'on laisse traîner dans la cuisine !

Un Anglais venu passer le week-end sur la côte normande s'apprête à se coucher dans sa petite chambre d'hôtel, lorsque, horreur ! il découvre une puce au beau milieu de ses draps. Il appelle donc la direction pour se plaindre.

Quelques instants plus tard, le directeur se présente en personne dans sa chambre pour s'excuser.

– Regardez, Monsieur, lui dit le Britannique en pointant du doigt le drap blanc, il y a là *un* puce.

– *Une* puce, si je peux me permettre, reprend respectueusement le directeur.

L'Anglais se penche alors vers l'animal puis, relevant la tête d'un air admiratif, murmure :

– Vous avez vraiment de bons yeux, Sir !

Trouvant que son patient est un peu trop porté sur l'alcool, un médecin décide de le désintoxiquer en douceur en lui conseillant de ne boire que durant les repas.

Un mois plus tard, c'est un patient quasiment obèse qui se présente de nouveau à la consultation.

– Votre régime m'a fait beaucoup grossir, déclare-t-il au praticien.

– Je vois, je vois, murmure le docteur d'un air songeur. Avez-vous scrupuleusement suivi mes conseils quant à la boisson ?

– J'ai fait exactement ce que vous m'avez dit, mais, comme j'avais toujours soif, j'ai passé mon temps à manger !

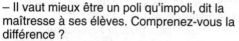

— Il vaut mieux être un poli qu'impoli, dit la maîtresse à ses élèves. Comprenez-vous la différence ?

— Oui, répond un gamin.

— Peux-tu me donner un autre exemple ?

— Bien sûr, Madame : il faut mieux être un nain connu qu'un inconnu.

Un type arrive sur une plage normande. La mer est basse. Il marche le long d'un égout. Arrivé à son extrémité, il se penche sur le flux jaunâtre qui s'en échappe et l'observe longuement. Et le voilà soudain qui s'exclame :

— Sale eau !

De très mauvaise humeur, un client pousse la porte d'un coiffeur et lance :

— Vous pouvez me prendre ?

— Oui. C'est pour quoi ?

— La barbe.

— Vous pourriez être poli, quand même ! lui répond le coiffeur.

Un homme qui consulte régulièrement un voyant s'étonne de ce qu'il commence toujours la séance en buvant un petit coup. Il s'enquiert donc du sens de ce geste.

— C'est mon outil de travail, lui répond alors le voyant.

— Je ne comprends pas bien.

— C'est pourtant simple : un *verre… devin* !

Un Asiatique entre dans un restaurant de Hong Kong et commande un ragoût de chat. Quelques minutes plus tard, le serveur lui apporte son plat. Le client y plonge une fourchette gourmande, qu'il porte à sa bouche avant de recracher aussitôt le morceau.

– Mais ce n'est pas du chat ! s'exclame-t-il furieusement.

– En effet, Monsieur, répond le serveur, c'est du rat.

– Du rat ? Quelle horreur ! Le chat est une viande délicieuse, mais le rat, c'est absolument dégoûtant.

– Ce n'est pas ce que pensent les Français, qui s'y connaissent en gastronomie, lâche alors le serveur.

– Les Français aiment le rat ?

– Et comment ! D'ailleurs, ils ont un proverbe qui le clame haut et fort.

– Lequel ?

– Ben... « À bon chat, bon rat » !

– Dis donc, mon chéri, dit une femme à son mari qui vient juste de rentrer du travail, j'ai deux nouvelles à t'annoncer : une bonne et une mauvaise.

– Commence par la mauvaise.

– Eh bien, voilà : j'ai eu un petit accident avec la Clio et j'ai cassé un phare.

– Et quelle est la bonne nouvelle ?

– En bricolant un peu, j'ai réussi à le remplacer.

– Et qu'as-tu mis à la place ?

– Ben, l'un des phares de ta Porsche !

Un marchand de balançoires rencontre l'un de ses amis.
– Ça va ?
– Ça va, sauf que je viens de découvrir que mon comptable me vole de l'argent.
– Tu vas le vider ?
– Bien mieux : je vais aller au commissariat… *le balancer*.

Un ouvrier se présente au bureau d'embauche d'un grand chantier.
– Vous payez combien la journée ? demande-t-il au recruteur.
– Pas cher, le prévient celui-ci.
– C'est-à-dire ?
– Trois cents francs.
– Ce n'est pas beaucoup, mais j'accepte les conditions, répond le travailleur, qui se met aussitôt au travail.
Le soir venu, l'ouvrier vient chercher son salaire et le recruteur lui remet les trois cents francs convenus.
Mais le journalier lui réclame le double de la somme.
– Pas question, mon ami, lui répond alors le recruteur. Nous étions bien convenus du prix.
– Justement, répond l'autre, un homme averti en vaut deux. Cela fait donc trois cents francs... chacun !

De retour d'un voyage en Europe, un Américain débarque à l'aéroport Kennedy à New York. Le douanier lui demande :
– Avez-vous quelque chose à déclarer ?
– Oui, répond le voyageur, mais je ne parlerai qu'en présence de mon avocat.

31

Après avoir purgé une peine de prison, un petit voleur décide de se réinsérer et de mener une vie parfaitement honnête. Passionné par l'aviation, il s'inscrit dans une école spécialisée. Lors de son premier cours de pilotage, l'instructeur lui dit :

– Pour pouvoir décoller, il faut pousser l'avion jusqu'à ce que l'aiguille du compteur de vitesse atteigne le premier quart du cadran. Là, vous pouvez tirer sur le manche d'un tiers de sa course de manière que l'appareil lève le nez. Quand l'angle formé avec le sol est égal à 90 ° sur deux, vous donnez des gaz. Une fois dans le ciel, pour virer de trois quarts, vous tirez latéralement le manche d'un tiers à droite ou à gauche selon la direction que vous désirez prendre.

– Rien de plus facile, répond alors le jeune élève, je suis en terrain connu : pour réaliser un vol, il faut connaître... les fractions ! (l'effraction)

☺ ☺ ☺

Dans un grand hôtel, un banquier et un prestidigitateur sont sur le point de monter dans un ascenseur, quand les portes commencent à se refermer.

Aussitôt, le prestidigitateur se penche et glisse sa tête entre les deux battants pour les faire se rouvrir.

Le banquier s'étonne :

– Curieuse façon de faire. Moi, personnellement, j'aurais mis les mains.

– On voit qu'elles ne sont pas votre instrument de travail, répond alors le prestidigitateur.

Un homme d'une bonne soixantaine d'années entre dans un magasin d'articles de voyage. Le vendeur se précipite aussitôt :

– Bonjour, Monsieur. Que puis-je pour votre service ?

– Eh bien, voilà : je pars pour quarante-huit heures et j'ai besoin d'une petite chose pour emporter mes quelques affaires.

– Une valise comme celle-ci ? demande le vendeur.

– Ah ! non, je déteste les valises.

– Un sac reporter ?

– Non plus, cela fait trop sport.

– Un sac bandoulière alors ?

– Je ne trouve pas ça très pratique.

Le vendeur reste un instant silencieux puis s'exclame :

– J'ai là un très joli petit sac à dos qui…

– Un sac… *ado* ? Mais j'ai passé l'âge !

COMBLES

A comme.... Animaux

Quel est le comble pour une
grenouille ?
S'asseoir sur un fauteuil crapaud.

Quel est le comble pour une truite susceptible ?
Prendre la mouche.

Quel est le comble pour une moule ?
N'être *pas lourde*.

Quel est le comble du bonheur pour un cheval de
trait et sa jument ?
Danser joug contre joug.

35

Quel est le comble pour une chenille poète ?
Faire des vers à soie.

Quel est le comble pour un singe voleur ?
Avoir la police au cul. (peau lisse)

Quel est le comble pour un coq ?
Avoir la chair de poule.

Quel est le comble pour un taureau ?
Faire un effet bœuf.

Quel est le comble du snobisme pour une puce africaine ?
Faire un tour en Jaguar.

Quel est le comble pour une poule fiévreuse ?
Pondre des œufs durs.

Quel est le comble pour un canard aveugle ?
Tomber amoureux d'une cane blanche.

Quel est le comble de l'interdiction pour un éléphant ?
Défense d'y voir !

Quel est le comble pour un pou ?
Perdre la tête.

Quel est le comble pour un pou femelle ?
Être très jolie, car on la surnomme alors la *pou belle*.

Quel est le comble pour un chien ?
Aller aux puces.

Quel est le comble pour une baleine ?
Finir sa vie dans un corset.

Quel est le comble pour un perroquet femelle ?
Se prénommer *Lara*.

Quel est le comble pour une souris ?
Tomber amoureuse d'un ordinateur.

Quel est le comble pour deux harengs jumeaux ?
Être nommés harengs-sœurs.(harangs-saurs)

Quel est le comble pour un chat ?
Entrer dans une pharmacie et demander :
« Un sirop pour *ma toux* ».

Quel est le comble pour un chat noble ?
Être pacha.

Quel est le comble pour un ver luisant ?
Prendre sa vessie pour une lanterne.

Quel est le comble pour un poisson ?
Être en nage.

Quel est le comble pour une araignée ?
Être cinéphile… parce qu'elle se fait souvent une
toile.

Quel est le comble du
bien-être pour un mouton ?
Avoir la laine fraîche.

38

Quel est le comble pour un chat ?
Vivre à Bora Bora. (Beau rat – Beau rat)

Quel est le comble pour un animal sauvage malade ?
Faire une cure thermale, autrement dit aller aux
eaux. (en zoo)

Quel est le comble de la torture pour un
caméléon ?
Tomber sur un tissu écossais !

Quel est le comble pour un canard ?
Tomber amoureux d'une cane anglaise.

Quel est le comble pour un corbeau ?
Bayer aux corneilles.

Quel est le comble pour une truie voyageant en
bateau ?
Arriver à bon port.

Quel est le comble pour une autruche avare ?
Se faire plumet.

Quel est le comble pour un héron ?
Faire le pied de grue.

Quel est le comble pour une vipère ?
Avaler des couleuvres.

Quel est le comble pour un roquet ?
Avoir un chat dans la gorge.

Quel est le comble pour un ver aristocrate ?
Péter dans la soie.

Quel est le comble pour une coccinelle ?
Avoir un point de côté.

Quel est le comble de la misère pour un oiseau ?
Se faire plumer.

Quel est le comble pour un poisson ?
Devenir sourd, car alors il perd l'ouïe.

Quel est le comble pour un phoque ?
Parler en morse.

D comme.... Divers

Quel est le comble pour un roi du pinceau ?
Peindre des fleurs et être sensible au vert tige.

Quel est le comble pour un chauve ?
Mettre un *soutif* (sous-tifs) sous sa perruque.

Quel est le comble pour un couple de centristes ?
Ne pas être du même milieu.

Quel est le comble pour un bigleux à la mine patibulaire ?
Être considéré comme un homme louche.

Quel est le comble de la richesse ?
Construire un mur avec cent briques.

☺ ☺ ☺

Quel est le comble pour un fumeur ?
Ne pas aimer le poisson fumé.

Quel est le comble pour un fumeur de pipe ?
Rire de sa blague.

Quel est le comble pour un homme portant une perruque ?
Se faire des cheveux parce qu'il se sent… fautif !
(faux tifs)

Quel est le comble de l'optimisme ?
Partir sur une île déserte en étant sûr d'y rencontrer son futur conjoint.

Quel est le comble pour un vieil ordinateur ?
Avoir des pertes de mémoire.

Quel est le comble pour un végétarien ?
Avoir un nez gros comme une patate et des oreilles en feuilles de chou.

Quel est le comble pour un boursier italien mélomane ?
Entrer au conservatoire pour apprendre à jouer sur la lire.

Quel est le comble pour une mirabelle ?
Compter pour des prunes.

Quel est le comble pour l'épouse d'un comédien ?
Demander à son mari de lui faire une scène.

Quel est le comble de la mauvaise foi ?
Donner sa parole en prétendant qu'on peut la tenir.

Quel est le comble pour un soldat espagnol ?
Résider à Grenade.

Quel est le comble pour un autodidacte ?
Être professeur d'auto-école.

Quel est le comble pour un fantôme ?
Voir la demeure qu'il habite se refléter dans sa tasse d'infusion et s'écrier : « Je vois un château en thé ! »

Quel est le comble pour un Savoyard ?
Écrire avec un stylo Mont-Blanc.

Quel est le comble pour un apprenti voyant ?
Être amateur *de vin*.

Quel est le comble pour une ménagère mélomane ?
Chanter comme une casserole.

Quel est le comble pour un faux-monnayeur ?
Acheter le Moulin de la Galette.

Quel est le comble pour une mère espagnole ?
Faire laver Maria.

Quel est le comble pour un Anglais avare ?
Passer son temps à feuilleter ses *livres*.

Quel est le comble pour un amateur de poésie ?
Posséder une automobile dont le klaxon fait *poète-poète*.

Quel est le comble pour un rôti trop cuit ?
Partir en fumet.

Quel est le comble du romantisme ?
Déguster la lune en croissant.

Quel est le comble pour les trois mousquetaires ?
Se mettre en quatre.

Quel est le comble du mépris pour le premier
enfant d'une famille nombreuse ?
Faire un pied d'aîné. (pied de nez)

Quel est le comble de la paresse ?
Attendre l'automne de sa vie pour récolter les fruits
de son expérience.

Quel est le comble pour Rodrigue ?
Manquer de cœur.

Quel est le comble pour un policier ?
Finir sa vie dans un incendie… comme *poulet rôti*.

Quel est le comble de l'abnégation pour une belle
princesse à la fin d'un tournoi ?
Donner un baiser au laid preux.

Quel est le comble pour un pochard triste ?
Noyer son chagrin dans une larme d'alcool.

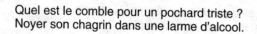

Quel est le comble pour un paresseux ?
S'épuiser à ne rien faire.

Quel est le comble pour un Égyptien ?
Être antiquaire. (anti Caire)

Quel est le comble pour un éléphant engagé dans la politique ?
Être nommé ministre de la Défense.

Quel est le comble pour un criminel sportif ?
Pratiquer l'escrime. (les crimes)

Quel est le comble pour un nain ?
Chercher sa moitié.

Quel est le comble pour un voleur ?
Prendre une douche.

46

Quel est le comble pour un petit nuage ?
Faire pluie-pluie.

Quel est le comble pour un crayon ?
Avoir bonne mine.

Quel est le comble pour la mère d'un futur toréador ?
Appeler son enfant pour lui donner le sein en criant : « Au lait ! »

Quel est le comble du luxe pour Juliette ?
S'offrir une Alfa Romeo.

Quel est le comble pour un fou ?
Passer le temps avec une écumoire.

Quel est le comble pour un malade atteint de dépression ?
Anéantir son cafard en utilisant de l'insecticide.

Quel est le comble pour un pompier ?
Brûler les étapes.

Quel est le comble pour un homme distrait ?
Perdre son temps.

Quel est le comble pour un
mathématicien ?
Faire cuire un neuf.

Quel est le comble pour un pyromane ?
Brûler un feu rouge.

Quel est le comble pour un joueur de poker ?
Avoir une quinte de toux.

Quel est le comble pour un roi franc ?
Jouer au menteur.

Quel est le comble pour une statue britannique ?
Être en glaise.

Quel est le comble pour un pilier de bar ?
Couvrir le toit de sa maison avec ses ardoises.

Quel est le comble de la curiosité ?
Glisser un tuyau d'arrosage dans une serrure, ouvrir le robinet et sonner pour savoir jusqu'où a fusé le jet d'eau.

Quel est le comble pour un moine ?
Se faire sonner les cloches.

Quel est le comble pour un pair de France ?
Être maire.

Quel est le comble pour mon frère ?
Être *masseur*.

Quel est le comble pour un bricoleur ?
Appeler sa chienne *Lassie*.

Quel est le comble pour un catholique obèse ?
Faire maigre.

Quel est le comble pour un philosophe joueur ?
Battre des cartes. (Descartes)

Quel est le comble pour un parieur ?
Mettre sa vie en jeu.

Quel est le comble pour une vieille dame ?
Faire l'enfant quand elle a passé l'âge d'enfanter !

Quel est le comble pour une demeure ?
Ne pas avoir de combles.

Quel est le comble pour un Africain insomniaque ?
Passer des nuits blanches.

Quel est le comble pour un chauve ?
Se faire des cheveux blancs.

Quel est le comble pour un mille-feuille ?
Être rassis, … et donc dur de la feuille.

Quel est le comble pour un groupe de joyeux
touristes arabes?
Être pris pour de drôles de zèbres. (z'hébreux)

Quel fut le comble de l'indélicatesse d'Ève ?
Faire luire ses souliers avec la brosse Adam.

Quel est le comble pour un chimiste très religieux ?
Travailler l'antimoine.

Quel est le comble de l'orgueil ?
Se prendre pour Dieu et supprimer les miroirs afin
d'éviter la concurrence.

Quel est le comble pour un humaniste ?
Broyer du noir.

Quel est le comble pour un champion de 421 ?
Se prénommer Dédé.

Quel est le comble pour un chercheur d'or ?
Avoir mauvaise mine.

Quel est le comble pour un prêtre pudique ?
Être défroqué.

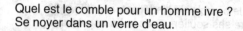

Quel est le comble pour un homme ivre ?
Se noyer dans un verre d'eau.

Quel est le comble pour un joueur de bridge arabe ?
Tenir la place du Maure.

Quel est le comble pour un alcoolique ?
Être ivre de colère.

Quel est le comble pour deux parallèles ?
Tomber passionnément amoureuses l'une de l'autre !

Quel est le comble pour un espion ?
Se noyer dans la piscine[1].

Quel est le comble pour un joueur de pétanque ?
Avoir les boules.

Quel était le comble pour Hélène de Troie ?
Se mettre en quatre.

1. La « piscine » désigne les services de contre-espionnage français.

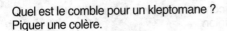

Quel est le comble pour un kleptomane ?
Piquer une colère.

Quel est le comble de la gourmandise pour un ecclésiastique ?
Déguster une religieuse et des pets-de-nonne.

Quel est le comble pour un ivrogne ?
Avoir un don de double vue.

Quel est le comble pour un joueur de roulette ?
Avoir la boule à zéro.

Quel est le comble pour un humoriste ?
Manger un poulet[1] farci.

Quel est le comble pour un avare ?
Faire son service militaire dans les paras.

Quel est le comble de l'avarice ?
Lire par-dessus ses verres de lunettes pour ne pas les user.

1. Le « poulet » désigne un billet satirique.

Quel est le comble pour un prisonnier mélomane ?
Adorer le violon.

Quel est le comble pour un noble britannique ?
Filer à l'anglaise.

Quel est le comble pour un jeune Français au pair
dans une famille allemande ?
Prendre la fille de l'Herr.

Quel est le comble pour une boussole ?
Perdre le nord.

Quel est le comble pour
un oignon ?
Faire verser des larmes
à un saule pleureur.

Quel est le comble pour un aliéné ?
Avoir le fou rire.

Quel est le comble pour Quasimodo ?
Se faire sonner les cloches.

Quel est le comble pour un horloger ?
Courir contre la montre.

Quel est le comble pour la mer ?
Avoir des idées vagues.

Quel est le comble pour un amateur de thé ?
Boire la tasse.

Quel est le comble pour des parents accueillant un fils prodigue ?
Devoir payer l'impôt sur le revenu.

Quel est le comble pour une sentinelle ?
Prendre la relève en oubliant son quart.

Quel est le comble pour un drogué ?
Lire les aventures de femmes célèbres pour se gaver d'héroïnes.

Quel est le comble du snobisme pour un provocateur ?
Railler avec des fi.

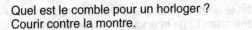

Quel est le comble pour la fille d'un pêcheur ?
Se prénommer Lotte et épouser le propriétaire d'un bar.

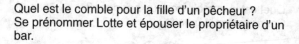

Quel est le comble pour le fils d'un pompier ?
Se prénommer Lancelot.

Quel est le comble pour le fils d'un fabricant d'adhésifs ?
Détester l'école.

Quel est le comble pour un fabricant de piscines ?
Réserver une baignoire au théâtre.

Quel est le comble pour un viticulteur ?
Planter des vignes pour récolter des cèpes.

H comme.... Humour noir

Quel est le comble pour la femme d'un mourant acariâtre ?
Appeler le docteur parce que son mari râle.

Quel est le comble pour Jeanne d'Arc ?
Bûcher.

Quel est le comble de la morbidité ?
Arpenter les plages pour manger les fruits des noyés.

Quel est le comble de la trahison pour un
anthropophage ?
Préparer un pote au feu.

Quel est le comble pour un joueur de cartes manchot ?
Passer la main.

Quel est le comble pour un condamné à mort le
jour de son exécution ?
Tenir tête.

Quel est le comble pour une femme obèse ?
Habiter Lourdes.

Quel est le comble pour une grosse Chinoise
orgueilleuse ?
Être considérée comme une Mongole fière.

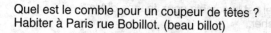

Quel est le comble pour un coupeur de têtes ?
Habiter à Paris rue Bobillot. (beau billot)

Quel est le comble pour des frères siamois ?
Être renvoyés dos à dos.

Quel est le comble pour un cul-de-jatte ?
Freiner des quatre fers.

Quel est le comble pour un cul-de-jatte craintif ?
Se prénommer Paul et être désigné sous le
sobriquet de Paul-tronc.

Quel est le comble pour un cul-de-jatte manchot ?
Marcher au doigt et à l'œil.

Quel est le comble pour une veuve ?
Passer la nuit au coin du feu.

Quel est le comble pour un gentleman grabataire ?
Être trop poli.

Quel est le comble pour un joyeux terroriste ?
Faire la bombe.

Quel est le comble pour un végétarien ?
Finir sa vie comme un légume.

Quel est le comble pour l'amant d'une veuve ?
Passer ses vacances devant la mer Noire.

Quel est le comble pour un orphelin ?
Habiter devant la mer Morte.

Quel est le comble pour un prêtre souffrant de
gangrène ?
Se faire curer.

Quel est le comble pour un eunuque en faillite ?
Serrer les cordons de sa bourse.

Quel est le comble pour un colonialiste ?
Commander un petit noir bien serré au café.

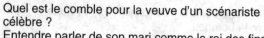

Quel est le comble pour la veuve d'un scénariste célèbre ?
Entendre parler de son mari comme le roi des fins.

Quel est le comble pour un hémophile ?
Être enseignant.

Quel est le comble pour un aveugle ?
Voir la vie en rose.

Quel est le comble pour un sourd ?
Être stupide, car alors il n'entend rien à rien.

Quel est le comble pour un cinéaste spécialisé dans les scènes de torture ?
Prendre des raccourcis.

Quel est le comble pour un condamné innocent ?
N'être pas cru... et donc cuit.

Quel est le comble pour un sans-domicile fixe ?
Se prénommer Richard.

Quel est le comble du confort pour un bourreau oriental ?
Le pieu.

Quel est le comble pour un défunt ?
Se mettre aux vers.

Quel est le comble pour un vieux plombier ?
Avoir des fuites.

Quel est le comble pour un écrivain hypocondriaque ?
N'écrire que sur du papier hygiénique.

Quel est le comble pour un cheval de corbillard ?
Prendre le mort aux dents.

Quel est le comble pour un drogué beau parleur ?
Jeter de la poudre aux yeux.

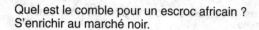

Quel est le comble pour un escroc africain ?
S'enrichir au marché noir.

Quel est le comble pour un héroïnomane ?
Être complètement piqué.

Quel est le comble pour un tortionnaire ?
Mentir… et se couper.

Quel est le comble pour une grosse naine ivre ?
Être prise pour un petit tas bourré.

Quel est le comble pour un accidenté de la route ?
Rester beau, nez en moins.

Quel est le comble pour un charcutier ?
Épouser un vrai boudin.

Quel est le comble pour un explorateur marié à une sotte ?
Être heureux de traverser le désert sans sa gourde.

M comme.... Métiers

Quel est le comble pour un marchand de porcelaine ?
Manquer de bol.

Quel est le comble pour une voyante ?
Porter des lunettes.

Quel est le comble pour un tailleur comédien à ses heures ?
Servir de doublure.

Quel est le comble pour un boxeur ?
Taper sur une bouteille de champagne pour que le vin soit bien frappé.

Quel est le comble pour un fourreur ?
Aimer les femmes à poil.

Quel est le comble pour un déménageur ?
Se vêtir en prêt-à-porter.

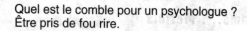

Quel est le comble pour un psychologue ?
Être pris de fou rire.

Quel est le comble pour un garagiste ?
Payer un pot parce qu'il en manque.

Quel est le comble pour un professeur d'arithmétique
dont la femme vient d'avoir son premier enfant ?
Être père et un père.

Quel est le comble pour un chirurgien ?
Faire sa comptabilité sur la table d'opération.

Quel est le comble pour un chirurgien spécialisé
dans les interventions sur l'abdomen ?
Creuser un boyau.

Quel est le comble pour un marchand de chaussures ?
Vendre des sabots de Denver.

Quel est le comble pour un vendeur d'appareils
électroménagers ?
Manger des petits-fours.

Quel est le comble pour un pâtissier fatigué ?
Être sur le flanc.

Quel est le comble pour un buraliste amateur de voile ?
Essuyer un coup de tabac.

Quel est le comble pour un copiste ?
Faire des P plus haut que son Q.

Quel est le comble pour un prêteur sur gages ?
Manquer de crédit.

Quel est le comble pour un serveur de café ?
Briser un miroir pour servir les jus de fruits avec de la glace pilée.

Quel est le comble pour un mathématicien gastronome ?
Faire une omelette sans casser 2 !

Quel est le comble pour un anesthésiste ?
Raconter des histoires à dormir debout.

Quel est le comble pour un vidéaste ?
Filmer la neige en couleurs !

Quel est le comble pour un chanteur ?
Participer aux jeux Olympiques pour lancer son
disque.

Quel est le comble pour une jeune maraîchère ?
N'avoir que des potes âgés.

Quel est le comble pour un percussionniste ?
Boire dans une timbale.

Quel est le comble pour un boulanger ?
Mener ses employés à la baguette.

Quel est le comble pour une future nonne ?
S'engager pour la vie à l'instant où elle met les voiles !

Quel est le comble pour un
pêcheur bricoleur ?
Utiliser un poisson-scie et un
requin-marteau pour effectuer
des travaux.

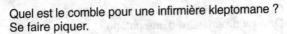

Quel est le comble pour une infirmière kleptomane ?
Se faire piquer.

Quel est le comble pour un commissaire de police ?
Travailler quand il arrête.

Quel est le comble pour une femme vétérinaire ?
Ouvrir une « nourserie ».

Quel est le comble pour un voyant italien ?
Habiter à Venise, place Saint-Marc. (marc... de café !)

Quel est le comble pour un bûcheron ?
Manquer de bouleau.

Quel est le comble pour un militaire africain en stage en France ?
Être affecté au Cadre noir.

Quel est le comble pour un employé d'abattoir sans grande intelligence ?
Être un peu bouché.

Quel est le comble pour un mineur esthète ?
Devenir propriétaire d'une galerie.

Quel est le comble pour une paléontologue ?
Porter des faux cils.

Quel est le comble pour une cuisinière italienne ?
Être une bonne pâte.

Quel est le comble pour un peintre en lettres ?
Fonder un institut de beaux T.

Quel est le comble pour une fleuriste ?
Donner naissance à un bébé rose.

Quel est le comble pour un paysan ?
Chercher des coqs à marée basse.

Quel est le comble pour un dermatologue ?
Être diplômé de Sciences po.

Quel est le comble pour un chapelier ?
Conduire sur les chapeaux de roue.

Quel est le comble pour un opticien ?
Manger des lentilles.

Quel est le comble pour un coiffeur photographe ?
Vendre des pellicules.

Quel est le comble pour un vendeur de condiments ?
Baptiser sa boutique : « Le Champ d'ail ».

Quel est le comble pour un chef opérateur de cinéma ?
Faire du subjectif avec l'objectif.

Quel est le comble pour un kinésithérapeute ?
Avoir les mains de ma sœur.

Quel est le comble pour un grand chef de cuisine ?
Avoir mauvaise mine, car il serait alors un pâle toqué.

Quel est le comble pour un bourreau ?
Pendre la crémaillère.

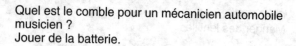

Quel est le comble pour un mécanicien automobile musicien ?
Jouer de la batterie.

Quel est le comble pour un serrurier mélomane ?
Ouvrir une porte avec une clé de sol.

Quel est le comble pour un agent de police ?
Se mettre au violon.

Quel est le comble pour un banquier ?
Recevoir un boxeur pour encaisser.

Quel est le comble pour un ophtalmologiste ?
Être pupille de la nation.

Quel est le comble pour un pâtissier ?
Fabriquer des pommes de pain.

Quel est le comble pour un bourreau ?
Se marier… parce qu'il se passe la corde au cou.

Quel est le comble pour un marchand de chaussures faisant un voyage en TGV ?
Avoir un coup de pompe dans le train.

Quel est le comble pour un fossoyeur ?
Rouler à tombeau ouvert.

Quel est le comble pour un jardinier ?
Planter des jalons.

Quel est le comble de l'ennui pour un coiffeur ?
Se raser.

Quel est le comble pour un cardinal ?
Habiter Pont-l'Évêque.

Quel est le comble pour un maçon ?
Mourir de faim devant cent briques.

Quel est le comble pour un avocat amateur de sports de combat ?
Travailler son droit.

Quel est le comble pour un électricien ?
Avoir les mains couvertes d'ampoules.

Quel est le comble pour un commissaire-priseur ?
Vendre des Picasso pour un bon paquet de Monet.

Quel est le comble pour un tripier ?
Faire du sirop des râbles.

Quel est le comble pour un photographe ?
Avoir les cheveux pleins de pellicules.

Quel est le comble pour un petit ramoneur ?
Vouloir descendre.

Quel est le comble pour un serveur de restaurant ?
Avoir les cheveux poivre et sel.

Quel est le comble pour un professeur ?
Recevoir une bonne leçon.

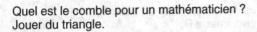

Quel est le comble pour un mathématicien ?
Jouer du triangle.

Quel est le comble pour un pétrolier ?
Être nommé garde des Sceaux.

Quel est le comble pour un banquier anglais ?
Avoir une bibliothèque pleine de livres.

Quel est le comble pour un garçon d'écurie ?
Avoir la migraine à force de panser.

Quel est le comble pour le fils d'un chemisier en
apprentissage ?
Détester les cols.

Quel est le comble pour un marinier ?
Écrire un roman-fleuve.

Quel est le comble pour un employé des
Télégrammes ?
Griller un stop.

Quel est le comble pour un géomètre ?
Se prénommer π R.

Quel est le comble pour un boursier ?
Avoir perdu la cote.

Quel est le comble pour un professeur de plongée ?
Recevoir les palmes académiques.

Quel est le comble pour un mannequin ?
Être aveugle et devenir taupe-modèle.

Quel est le comble pour un militaire ?
Épouser une beauté canon.

Quel est le comble pour un général ?
Faire la bombe.

Quel est le comble pour un dentiste ?
Jouer au bridge et à la roulette.

Quel est le comble pour un agriculteur ?
Faire son blé avec de l'orge.

Quel est le comble pour un vieux loup de mer ?
Tenir un bar.

Quel est le comble pour un ramoneur ?
Être un fumiste.

Quel est le comble pour un navigateur ?
Aborder le vif du sujet.

Quel est le comble pour un coiffeur ?
Raser les murs.

Quel est le comble pour un architecte ?
Construire des châteaux en Espagne.

Quel est le comble du maniérisme pour une
cuisinière ?
Faire la cocotte.

75

Quel est le comble pour un jardinier ?
Manquer d'oseille.

Quel est le comble pour un scaphandrier ?
être coureur de fond.

Quel est le comble pour une couturière ?
Faire tapisserie.

Quel est le comble pour un prêtre ?
Avoir une crise de foi.

Quel est le comble pour un alpiniste kleptomane ?
Se faire prendre sur le faîte.

Quel est le comble pour un fabricant de chandails ?
Jouer au polo.

Quel est le comble pour un plombier ?
Fumer un joint.

Quel est le comble pour un chirurgien ?
Prendre les vessies pour des lanternes.

Quel est le comble pour un maquilleur ?
Devenir gardien de fard.

Quel est le comble pour une blanchisseuse ?
Repasser les cols.

Quel est le comble pour un chimiste ?
Aimer les corps nus. (cornues)

Quel est le comble pour un fabricant de parquets ?
Établir un prix plancher pour ses lattes.

Quel est le comble pour un constructeur de
barques ?
Réussir ses plats fonds.

Quel est le comble pour un boucher ?
Avoir une tête de veau et des pieds de porc.

Quel est le comble pour une cuisinière ?
Cuire à petit feu.

Quel est le comble pour un vigneron ?
Élever des bovins.

Quel est le comble pour un fabricant de couteaux ?
Marcher sur le fil du rasoir.

Quel est le comble pour un agent de l'EDF ?
Ne pas être au courant.

Quel est le comble pour un agent de GDF ?
Rouler plein gaz.

Quel est le comble pour un conducteur de métro ?
Ne pas en faire une rame.

Quel est le comble pour un menuisier ?
Se faire scier au travail.

Quel est le comble pour un maroquinier ?
Que sa boutique soit mise à sac.

Quel est le comble pour un herboriste ?
Avoir bon teint. (bon thym)

Quel est le comble pour un fabricant de postiches espion ?
Vendre la mèche.

Quel est le comble pour un boulanger ?
Se retrouver dans le pétrin.

Quel est le comble pour un croupier ?
Perdre la boule.

Quel est le comble pour un guide de montagne ?
Ne pas être passé par l'école.

Quel est le comble pour un flic obèse ?
Être un fin limier.

Quel est le comble pour un astronome ?
Tirer des plans sur la comète.

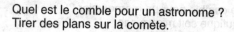

Quel est le comble pour un marin épistolier ?
Jeter l'encre.

Quel est le comble pour un garagiste ?
Être pistonné.

Quel est le comble pour un stratège ?
Battre la campagne.

Quel est le comble pour un fabricant de
cheminées ?
Chanter comme un bellâtre.

Quel est le comble pour un dessinateur industriel ?
Inviter quelqu'un à prendre le té.

Quel est le comble pour un toréador débordé ?
Prendre le taureau par les cornes.

Quel est le comble pour un exploitant agricole ?
Être cultivé.

Quel est le comble pour un percepteur hindou ?
Être payé en roupies de sansonnet.

Quel est le comble pour
un coiffeur ?
Proposer une coupe
Melba à ses clients.

Quel est le comble pour une pépiniériste ?
Vendre ses charmes.

Quel est le comble pour un facteur ?
Être considéré comme un homme de lettres.

Quel est le comble pour un marchand de
journaux ?
Ne pas avoir assez de clients, car il ne peut alors
servir tout *Le Monde*.

Quel est le comble pour un producteur de cinéma ?
Être à la tête d'une société écran.

Quel est le comble pour un fabricant de chaussures de sport ?
Faire des pompes.

Quel est le comble pour un tapissier ?
Planter des semences.

DEVINETTES

Quelques femmes décident d'aller faire un petit tour en barque sur le lac du bois de Boulogne. Toutes sont enchantées à l'idée de cette promenade sauf une.
Qui va ramer ?
La *pas gaie* !

Pourquoi les pêcheurs apprécient-ils tant le téléphone ?
Parce qu'ils aiment prendre la ligne.

Qu'a fait Bill Clinton lorsqu'on lui présenta celle qui allait devenir sa femme ?
Il a ri ! (Hillary)

Pourquoi les alpinistes sont-ils des casse-cou ?
Parce qu'ils ne sont heureux que quand leur vie ne tient qu'à un fil.

Quelle est la meilleure façon de maigrir ?
Faire du sport en… sautant les repas !

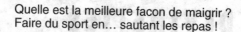

Pourquoi les phoques font-ils toujours rire leurs invités ?
Parce qu'ils ne sont heureux que lorsque l'hôte a ri ! (l'otarie)

Comment les randonneurs se dirigent-ils dans la nuit noire ?
À la lumière de leurs ampoules.

Quel est l'animal préféré des vaches et des bœufs ?
L'émeu. (les meuh)

Pourquoi les cascadeurs refusent-ils toujours les scènes d'alpinisme ?
Parce qu'ils craignent que le metteur en scène ne crie : « Coupez ! »

Quel est le genre de dés le plus apprécié des fumeurs ?
Les dés… pipés !

Qu'est-ce qui tourne sans cesse autour de
Carcassonne sans jamais oser y entrer ?
Les remparts.

À quoi reconnaît-on une pâtissière épuisée ?
Au fait qu'elle est sur le… flan !

Un cheval, un zèbre, une antilope et un gorille
prennent place dans une grosse voiture. Lequel va
conduire ?
Celui qui a le permis, bien sûr !

Quel est le plus grand cirque de France ?
Le cirque de Gavarnie.

☺ ☺ ☺

Pourquoi les porcs sont-ils toujours beaux ?
Parce qu'ils ne sont… pas laies !

☺ ☺ ☺

Qu'est-ce qu'un ogre helvétique ?
Un mangeur de petits Suisses.

☺ ☺ ☺

Quel est le fruit qu'on récolte en abondance dans
les palais de justice ?
L'avocat.

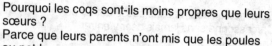

Pourquoi les coqs sont-ils moins propres que leurs sœurs ?
Parce que leurs parents n'ont mis que les poules au pot !

Quel est l'animal le plus raciste ?
Le pou, parce qu'il déteste les... Papous !

Pourquoi les dentistes aiment-ils particulièrement les chiens ?
Parce qu'ils sont attirés par l'espèce canine.

Quel est le nom de l'assistante du pape ?
La soupape !

Quelle différence y a-t-il entre un sot et un épi de blé ?
L'épi de blé, lui, au moins, est cultivé.

Qu'est-ce que Fort Knox ?
Un dortoir dans lequel chaque lingot... dort !

Quel est le fruit que les automobilistes
rencontrent sur les mauvaises routes ?
Le cassis.

Comment faire apparaître une lueur dans le
regard d'un imbécile ?
En éclairant son oreille !

À quoi reconnaît-on une secrétaire imbécile ?
Au blanc correcteur étalé sur l'écran de son
ordinateur.
Et comment reconnaît-on une secrétaire encore
plus sotte ?
Aux corrections qu'elle a effectuées sur le
correcteur !

Quel est le prénom préféré des alpinistes ?
Sim. (cime)

Qui était Ève ?
La première pomme-pomme girl !

Quel est l'animal le plus fantastique ?
Le cheval-vapeur.

Pourquoi les moralistes s'intéressent-ils également aux acariens ?
Parce qu'ils sont spécialistes d'éthique. (des tiques)

Quelle était la pâtisserie préférée de Jupiter ?
L'éclair.

Combien de pierres a-t-il fallu utiliser pour construire la basilique de Rome ?
Cinq, bien sûr, puisqu'elle s'appelle la basilique… cinq pierres ! (Saint-Pierre)

Pourquoi les gens drôles finissent-ils tous pauvres ?
Parce qu'ils prêtent à rire et qu'on ne leur rend jamais.

Comment se protéger du vent et du froid lorsqu'on a oublié son cache-nez ?
En mettant son bras en écharpe.

Quelle est l'activité préférée des chasseurs en période de fermeture de la chasse ?
Aller aux toilettes, parce qu'ils peuvent pratiquer la… chasse d'eau.

Quel est le meilleur hôtel de Camargue ?
L'hôtel Ibis.

Pourquoi les sardines sont-elles toujours si serrées dans leur boîte ?
Pour se tenir chaud, pardi !

Pourquoi les loups hurlent-ils à la lune ?
Parce qu'ils dorment dans la journée.

Pourquoi n'organise-t-on jamais de grand prix automobile de formule 1 sur la banquise en Laponie ou en terre Adélie ?
Parce que toutes les voitures partiraient en pôle position.

Comment sauver un avare de la noyade ?
En lui offrant la main… sans lui demander la sienne.

Comment les Anglais appellent-ils le premier ouvrage d'une collection de livres ?
Le book un ! (bouquin)

Quelle différence y a-t-il entre un militaire et un médecin ?
Aucune, puisque tous deux sont payés même s'ils ne parviennent pas à sauver ceux dont ils ont la responsabilité.

Quelle est l'interjection préférée
des canards ?
À l'eau ! (allô)

Est-ce que les bébés poux peuvent avoir des enfants ?
Bien sûr, puisque le pou pond ! (poupon)

Quels sont les animaux les plus cinéphiles ?
Les araignées, parce qu'elles n'arrêtent pas de se faire une toile.

Les chevaux hennissent-ils par la tête ou par la croupe ?
Par la croupe évidemment, puisque les culs rient !
(l'écurie)

Pourquoi les jeunes poulets mâles sont-ils vilains ?
Parce que ce sont des… coqs laids ! (coquelets)

Quel est l'animal préféré des informaticiens ?
La souris.

Qu'est-ce qu'un verrat ?
Un cochon… pas laie !

Quelle est la maladie la plus répandue en Asie ?
La fièvre jaune.

Pourquoi les élèves paresseux bayent-ils aux corneilles ?
Parce qu'on n'a jamais vu de perroquets dans les arbres des écoles.

Pourquoi les vacanciers se font-ils bronzer au soleil ?
Parce que cela ne leur serait pas possible avec la lune.

Pourquoi les canards gais sont-ils toujours jaunes ?
Parce qu'alors le canard… rit ! (canari)

Quelle est la mélodie préférée des poissons ?
L'air de la mer.

Quelle est la lettre la plus affectueuse ?
M. (aime)

Comment s'appelle l'animal issu d'un croisement entre un félin et un thon ?
Un chat-thon. (chaton)

Quel est le jeu préféré des taulards ?
Le ballon prisonnier.

Comment peut-on qualifier l'œuvre insolite du facteur Cheval ?
De poste moderne !

Qu'est-ce qu'un beau poussin ?
Un poulbot ! (un poule beau)

Pourquoi les poissons qui ont perdu leurs parents ne se sentent-ils pas orphelins ?
Parce qu'ils entendent sans cesse le bruit de la mer.

Qu'est-ce qu'une tache de stylo à bille ?
Une crotte de Bic.

Quel est le sport préféré des évêques ?
Le moto-cross !

Comment un aveugle peut-il déterminer à coup sûr la couleur d'un pigeon ?
En le posant sur l'eau, car seul le pigeon roux coule.

Pourquoi la société EDF recrute-t-elle des ingénieurs et des ouvriers de sexe masculin ?
Parce que l'électricité est une histoire… d'ohms !

Quel est l'apéritif préféré des marchands de pantalons ?
Le gin.

Quelle différence y a-t-il entre un infirmier, un lad et un philosophe ?
Aucune, car tous trois passent leur vie professionnelle à… pen (pan) ser !

Quel était le jeu préféré des chevaliers en croisade ?
Les mots croisés.
Et celui des compagnons de Robin des Bois ?
Les mots fléchés.

Quelle différence y a-t-il entre un imbécile et une patate ?
Eh bien, la patate, elle, au moins, est cultivée !

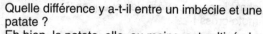

Quel est l'instrument de musique le plus malheureux ?
Le tambour, parce qu'il est toujours battu.

Que fait-on avec les peaux de lapin ?
Des manteaux.
Et avec les peaux de chats ?
Des chapeaux !

Quelle différence y a-t-il entre une maison bien entretenue et une maison qui s'écroule ?
La première montre sa belle architecture et l'autre s'affaisse.

Comment les inspecteurs de police appellent-ils les mains de leurs enfants ?
Les menottes.

Où vivent les producteurs de cinéma ?
Dans des studios.

Pourquoi les fumeurs de cigarettes sont-ils
généralement près de leurs sous ?
Parce qu'ils… mégotent !

Pourquoi les mauvais peintres
ne mangent-ils que du
pain sans mie ?
Parce qu'ils ne peignent
que des croûtes.

Que faut-il faire pour qu'un cheval vole ?
Le mettre dans le van.

Pourquoi les écrivains apprécient-ils tant les
lofts ?
Parce qu'ils aiment vivre dans un grand volume.

Pourquoi les jeunes filles du Moyen Âge
voulaient-elles toutes épouser un beau prince ?
Pour devenir la femme du pas laid !

Quelle différence y a-t-il entre des marchands de
viande et des tuyaux ramonés ?
Aucune : tous sont des bouchers. (débouchés)

Qu'est-ce qu'une ânesse ?
Un âne nana ! (ananas)

À quelle époque a-t-il le plus plu ?
Au Moyen Âge, parce qu'il tombait alors des
hallebardes.

Quel est le comble pour un joueur de cartes ?
Être habillé comme l'as de pique.

Pourquoi les chirurgiens doivent-ils être excellents
en arithmétique ?
Pour ne pas se tromper dans leurs opérations.

Quel est le jeu préféré des fossoyeurs ?
Les osselets.

De quelle manière faisait-on travailler les forçats ?
À la chaîne.

Quel est le métier préféré des paresseux ?
Installateur de chauffage, parce que c'est une
profession dans laquelle on a un poêle dans la
main.

Quelle était la surface maximale des jardins des empereurs romains ?
Seize ares.

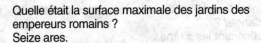

Quel est le légume le plus sot ?
La bête rave !

Quel est le champignon qui pousse exclusivement dans les champs de vignes ?
Le cèpe.

Quel est le jeu de société préféré des juges et des avocats ?
Le jeu de loi !

Dans quelle usine automobile dansait-on en travaillant ?
Chez Simca, lorsque ingénieurs et ouvriers faisaient l'Aronde.

Qu'est-ce qu'un puceron ?
Un pas pou !

Pourquoi les gens francs sont-ils impudiques ?
Parce qu'ils se mettent à nu.

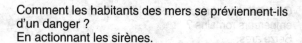

Comment les habitants des mers se préviennent-ils d'un danger ?
En actionnant les sirènes.

Quel est le moyen de paiement préféré des Schtroumpfs ?
La carte… bleue.

Comment les ouistitis payent-ils leurs menus achats dans la savane ?
Avec de la monnaie de singe.

Comment reconnaît-on les femmes de marins dans la nuit noire ?
À l'éclat de leur… fard.

Quelles sont les lettres de l'alphabet les plus humides ?
Le N et le P, car ils sont tous deux au bord de l'O.

😊 😊 😊

Quel est le comble pour une infirmière apprenant le tir à l'arc ?
Bander son arme.

98

À quoi reconnaît-on un chien instruit ?
À sa façon de miauler !

Pourquoi trouve-t-on des cure-dents sur le
comptoir des cafés ?
Pour faire des sandwiches aux fakirs !

Comment empêcher un chameau de passer par
le chas d'une aiguille ?
En lui faisant un nœud à la queue.

Pourquoi y a-t-il toujours un chat dans les ateliers
des grands couturiers ?
Pour griffer les vêtements.

☺ ☺ ☺

Quel est le poisson préféré des alcooliques ?
Le bar.

☺ ☺ ☺

Pourquoi les gens frileux apprécient-ils tellement
les chiens et les chats ?
Parce qu'il fait toujours chaud près du poil !

Que peut-on dire des femmes qui portent de longues tresses ?
Qu'elles dorment sur des nattes.

Pourquoi dort-on mieux sur un lit que partout ailleurs ?
Parce que le somme y est ! (le sommier)

Quel est le poisson le plus malheureux ?
Le poisson-chat, parce que son instinct de félin le pousse sans cesse à se manger lui-même.

Comment appelle-t-on un couturier spécialisé dans la confection des poches ?
Un pique-pocket !

Pourquoi les contorsionnistes sont-ils particulièrement doués pour la course à pied ?
Parce qu'ils prennent facilement leurs jambes à leur cou.

Pourquoi les escrimeurs sont-ils psychologues ?
Parce que ce sont des spécialistes de lame.

Que font les enfants italiens lorsqu'ils ont une petite envie ?
Ils vont faire un tour sur le Pô.

Qu'est-ce qu'un canif ?
Un petit fien !

Quel est l'oiseau le plus dingue ?
Le fou de Bassan.

Quelle est la différence entre la tour Eiffel et la tour Montparnasse ?
Du haut de la tour Montparnasse, on a la chance de ne pas voir la tour Montparnasse !

Quel était la fleur fétiche des amateurs de tournois sous la royauté ?
La fleur de lice !

Qui possède des ailes sans être un ange ni un oiseau ?
Un moulin à vent.

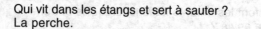

Qui vit dans les étangs et sert à sauter ?
La perche.

Blanc ou roux, je suis toujours le même.
Qui suis-je ?
Le sucre.

Parmi tous les animaux, quels sont ceux qui sont toujours en tête ?
Les poux.

Que je sois dur ou tendre, je finis toujours par être mangé. Qui suis-je ?
Le blé.

Qui tombe toujours à angle droit ?
La perpendiculaire.

Je suis une unité de poids, une devise étrangère et un instrument de culture, et mon genre peut indifféremment être masculin ou féminin.
Qui suis-je ?
La/le livre.

Quelle est la fleur qui indique la direction des vents ?
La rose (des vents).

Qui rend malades les hommes aussi bien que les ordinateurs ?
Les virus.

Achevé d'imprimer en mai 2006
à Milan, Italie,
sur les presses de Grafiche Milani

Dépôt légal : mai 2006
Numéro d'éditeur : 9659